Contes pour Enfants sages

Adaptation de J. BARNABE

Hemma

Rita

Rita, la petite souris, adore les fleurs. La voici à la recherche des plus jolies de la forêt.

Son attention est attirée par des piaillements. Elle lève les yeux, aperçoit des oiseaux qui nourrissent leurs petits… ainsi que, juste au-dessus du nid, des fleurs merveilleuses.

— Voilà ce que je cherche ! se dit-elle en souriant. Tout à fait ce qu'il me faut pour embellir ma maison.

Aussitôt dit, aussitôt fait.
Notre amie, son panier en osier
à la main, se met à escalader
les rochers. L'entreprise est
assez périlleuse, mais Rita ne
s'en soucie guère.

Arrivée au sommet, elle
se penche et, à l'aide d'un
sécateur, essaie de cueillir
les superbes fleurs. Rita se
penche de plus en plus... et
finit par tomber.
Pauvre petite imprudente!
Que va-t-il lui arriver?

Pedro, comme chaque jour, va
à la pêche. Il est tout surpris
d'entendre de nombreux appels
de détresse.
— Que se passe-t-il? se demande
le brave chien. Quelqu'un est
en grand danger, mais je ne le
vois pas...
Et il inspecte les environs.

— Je suis là-haut ! s'écrie la souris. Je t'en prie, Pedro, aide-moi ! Dépêche-toi, mon ami, car la branche plie et commence à craquer !

— Cesse de t'agiter ! lui conseille Pedro. J'arrive !

Heureusement, Pedro est un pêcheur habile… En quelques secondes, il accroche la robe de Rita avec son hameçon et, sans trop d'efforts, ramène son amie en lieu sûr.

— A l'avenir, contente-toi de couper les fleurs du sentier, Rita. C'est plus prudent !

Le cadeau d'anniversaire

Aujourd'hui, c'est l'anniversaire de Museau, le petit renard. A cette occasion, ses parents lui offrent une carabine à bouchon.

— Merci beaucoup! sourit-il. Je vais l'essayer immédiatement.

— Amuse-toi bien, mon garçon! lui répond monsieur Leroux.

Arrivé à la clairière, notre
ami rencontre Tomy, l'ourson.
— Quelle coïncidence ! s'étonne ce
dernier. Tu as la même carabine
que moi !
— Mais je vise mieux que toi ! dit
Museau sur un ton de défi.

— Celui qui touchera
cette pomme de pin en
plein vol sera sacré champion ! propose le
petit ours.

— D'accord! accepte le renardeau en armant son beau fusil. Je suis prêt, mon ami.

— Attention! s'écrie Tomy. Que le meilleur gagne!

Et il lance la pomme de pin dans les airs.

Les deux tireurs se concentrent, visent et Pan!! Ils ratent leur cible, mais pas l'œil du voisin.

— Espèce de gros maladroit ! hurle Museau, furieux.

— Maladroit toi-même ! enchaîne le petit ours. Quand on ne sait pas se servir d'une carabine, on joue à la poupée ou à la marelle.

— Garde tes conseils, Tomy ! Achète plutôt un hochet.

Quelle journée ! Notre ami se souviendra de cet anniversaire : un œil poché et une dispute...
— Mon œil guérira vite ! pense Museau. Cela ne valait pas la peine de me fâcher avec Tomy... Je dois trouver un moyen pour nous réconcilier.

– Pourquoi pas un concours de tir ! se dit-il en voyant une boîte de conserve posée sur une barrière. Je suis sûr que nous nous amuserons très bien... De plus, nous nous trouverons tous les deux du même côté de la cible.

Linda

Notre amie Linda est
très gentille, mais elle
a un gros défaut : elle
nettoie et astique du
soir au matin... A tel
point que ses voisins
l'appellent « Frotfrot ».
Et ce surnom lui va
à merveille.

— Ces galopins soulèvent la poussière avec ces satanées trottinettes! grogne-t-elle.

Aussitôt, la
jolie Frotfrot
s'empare d'un
balai et se met
à nettoyer les
abords de son
domaine. Voilà !
C'est parfait.

— Linda est vraiment une
maniaque! commente Fifi.
— Nous devrions essayer
de lui faire entendre
raison! ajoute Cuicui.

— Mêlez-vous de vos affaires ! rugit la ménagère en agitant son balai.

– Je vais au marché ! dit-elle
à Croc et Grigri. Tâchez de
ne pas faire de bêtises en
mon absence !

– D'accord ! répond la petite
souris. Tu peux partir sans
crainte : cette trottinette
est inutilisable.

A son retour,
un violent orage
éclate soudain.

Malheureusement, la boue a remplacé la poussière… Et la pauvre Linda nettoie encore plus que d'habitude pour que sa jolie maisonnette demeure bien propre.

Un entrainement particulier

A l'approche des Jeux Sportifs, Rafale s'entraîne tous les matins dans la forêt.

Mais il n'est pas le seul
athlète à se préparer pour
cette compétition : Roblochon
a décidé d'en faire autant…
mais en sens inverse !
Vous devinez sans peine
ce qui va se passer…

Hé, oui! Au détour
d'un sentier, les deux
coureurs se retrouvent
brusquement face à face
et... Bang!

— Regarde donc où tu mets les pieds! grogne le lapin.

— Tu devrais t'acheter des lunettes! ajoute la souris d'une voix furieuse.

Finalement calmés, nos deux amis décident de poursuivre leur entraînement... mais dans le même sens, cette fois!

— Le pont est trop étroit pour nous deux ! dit Rafale. Laisse-moi passer le premier.

— Il n'en est pas question ! réplique Roblochon en jouant des coudes. Moi d'abord ! Et l'accident se produit.

— Vous voilà bien avancés! lance
Tchip en agitant les ailes.
— Vous avez vraiment l'air malin!
ajoute Hop-Hop, la grenouille, sur
un ton ironique.

— Tu es dans un bel état! sourit grand-père. Ton entraînement a été dur, me semble-t-il.

— J'ai été stupide! répond Rafale.

Et il raconte sa mésaventure...

— C'est bien de reconnaître ses erreurs, fiston. Mais c'est encore mieux de ne plus les répéter.

Mirabelle frappe fort

— C'est gentil à toi de
venir m'encourager! dit
Mirabelle à Jeannot.

— Bonjour, Bella! Es-tu en forme, ce matin?

— Je me sens très bien, merci! De plus, il fait un temps splendide. Je crois que nous allons beaucoup nous amuser.

Le sort est favorable à notre amie Mirabelle.

— Es-tu prête, Bella ? Attention à mon service : il est terrible ! Et la chatte frappe de toutes ses forces. Vlan !

Quelle puissance! La balle file à la vitesse de l'éclair et, malheureusement, touche la chienne en plein sur l'œil. A demi assommée, la pauvre Bella s'étale sur le terrain de tennis et regarde les étoiles qui dansent devant ses yeux.

— Tu n'es qu'une sauvage ! dit-elle à Mirabelle.
Quand j'aurai raconté ça à tout le village, plus
personne ne voudra jouer au tennis avec toi !
— Du calme ! intervient Jeannot. Du calme, voyons !

– Viens ! ajoute-t-il en
entraînant Mirabelle.
C'est vrai que tu ne
sens pas ta force.

— Mais moi, j'adore le tennis! dit
notre amie avec conviction. Et si
personne ne veut jouer avec moi, je
jouerai seule! Voilà!
Et elle s'en va d'un pas décidé.

Curieux, Jeannot la suit et voit Mirabelle qui s'entraîne… contre un haut mur.

— Ainsi, dit la chatte, je peux frapper aussi fort que je veux! Mon adversaire ne se plaint jamais de la puissance de mes coups.

La mésaventure de Robi

Sur le chemin qui le
conduit à l'école, notre
ami Robi rencontre Tomy,
l'ourson, et lui
annonce
une bonne nouvelle.

— Je connais un endroit où il y a du miel ! dit-il.

— Conduis-moi vite ! répond Tomy, les yeux pétillant de gourmandise. Rien que d'y penser, j'en ai l'eau à la bouche. Miam ! Miam !

Mais cela ne se déroule pas du tout comme prévu... Les abeilles, furieuses que l'on touche à leur nid, se précipitent sur le chiot.

Robi prend ses jambes à son cou... poursuivi par les insectes en colère. Heureusement, notre ami a conservé sa casquette : elle le protège des piqûres.

Par chance, la petite
rivière n'est pas loin
et le chiot s'y jette
sans hésiter. Ouf! Il
est sauvé.

Heureusement, le soleil brille et les vêtements de notre ami ont le temps de sécher en cours de route.

— La journée commence bien pour moi! dit Tomy en repensant au bon miel qu'il vient de déguster. Quant à toi, tu t'en es bien tiré, malgré tout.

Quelle coïncidence! La leçon du jour porte justement sur les abeilles... Robi raconte sa mésaventure. Monsieur Hippo et tous ses élèves s'amusent beaucoup en écoutant ce récit.

— La prochaine fois, conclut le chiot, j'irai acheter du miel en bocal.

Un gourmand bien puni

Mimosa réalise d'excellentes pâtisseries, mais certaines disparaissent dès que notre amie a le dos tourné… Alors, la pâtissière décide de donner une bonne leçon au voleur.

— Voilà un gâteau spécial pour
l'anniversaire de ma cousine !
dit-elle à haute voix. Miam !
Cette crème fraîche, ces fruits
confits, ce chocolat...

Elle place la bonne
pâtisserie dans son
panier et prend le
chemin du village.

Dissimulé derrière un arbre, Rusé l'attend avec impatience, les yeux brillant de gourmandise.

Brusquement, le renard se précipite et, d'un coup sec, s'empare du panier. Mimosa ne résiste pas à l'attaque, mais elle s'écrie quand même :
— Au voleur ! Au voleur !
Son plan se déroule comme elle l'avait prévu.

— Je ne le partagerai avec personne ! dit
Rusé en allumant la bougie. A la santé
de la Cousine Eglantine !

— As-tu apprécié mon gâteau ?
plaisante Mimosa.
Le renard a bien compris
la leçon car, depuis lors, on
ne l'a plus jamais surpris
à dérober quoi que ce soit.

Les apprentis jardiniers

Par ce beau matin ensoleillé, Doumdoum a décidé d'aller travailler aux champs. Et pourtant, les adultes lui ont dit :
— Tu es encore trop jeune, mon petit! Mange bien ta soupe et prends des forces; ensuite, tu pourras nous accompagner.
Ah! Il va leur montrer de quoi il est capable.

— Bonjour, Musette ! dit-il
à son ami. Tu es prêt pour
le jardinage ?
— Quand tu veux, Doumdoum !

— D'abord, nous devons irriguer nos parcelles, lui explique la souris, sinon les légumes et les fruits ne pousseront jamais.

— J'ai bien compris! J'enlève ce bouchon et l'eau du réservoir coulera dans les sillons.

Aussitôt dit, aussitôt fait.

— Ça marche ! se réjouit l'ourson, le sourire aux lèvres. Nous sommes de fameux jardiniers.

— Ce n'est pas tout ! ajoute Musette en utilisant sa houe. Il faut maintenant guider l'eau et bien la répartir.

— Que se passe-t-il ici? hurle Médor. Qu'est-ce qui vous prend de vider ma piscine pendant que je me baigne?

— Excusez-moi, monsieur! bredouille Doumdoum. Je vais replacer le bouchon immédiatement.

— Mais vous êtes fous! se
fâche madame Lorgnon. Mes
galeries sont inondées.
— Pardon! Nous
sommes vraiment
désolés.

Les deux jardiniers
s'enfuient devant tant
de catastrophes.

Mais tout rentre dans l'ordre grâce au papa de Doumdoum… qui s'y connaît mieux que son fils.

TABLE DES MATIERES

ISBN : 2-8006-5811-8
Dépot légal : 06.97/0058/138

N° d'impression : 32649706
Printed in EC